Las mejores 100 tapas

EDICIONES
Aldeasa

Introducción

El paseo por los bares a la hora del aperitivo imponía la costumbre del *chato de vino tinto* que se repetía en varios establecimientos.

La prudencia de no beber con el estómago vacío, inició el nacimiento de unas *tapas* muy sencillas consistentes en una rebanada de pan sobre la cual se colocaban ingredientes sin cocción combinados con embutidos, quesos, pescados en conserva y en ocasiones aliñados con mayonesa o aceite. Poco a poco fue llegando el desarrollo del país y los largos trabajos limitadores del ocio y del paseíto. Sustituir el almuerzo completo por tapas empezó hace unos años convirtiéndose en uso común. Factores como la calidad y la diversidad de la cocina española contribuyeron también a que las tapas no fueran una excepción. Según las regiones o lugares pueden llamarse *pinchos* o *banderillas*, sin que el cambio de nombre afecte al producto, que siempre será de raciones pequeñas. A estas tapas con bases sólidas, se han añadido *cazuelitas* con guisos típicos del país.

Este libro es una introducción al arte de las tapas, ya que no bastaría una enciclopedia para describir la infinidad de combinaciones en las que se busca una armonía de gustos, como busca el músico las notas para crear una melodía.

verduras y setas

Ajo blanco con uvas

- **250 gr de miga de pan**
- **150 gr de almendras molidas crudas**
- **1 diente de ajo sin germen**
- **1 huevo**
- **2 cucharadas soperas de vinagre**

- **1 vaso de aceite de oliva de 0,4°**
- **1/2 de litro de agua**
- GUARNICIÓN:
- **100 gr de uvas**
- **50 gr de pasas de corinto y sal**

manos a la obra

Se pone a remojo la miga de pan durante una hora y luego se escurre. • Se trituran durante 5 minutos todos los ingredientes en la batidora y, a continuación, se pasan por el chino. • Se pone a enfriar la mezcla en la nevera. Si quedase espeso se le añade hielo o más agua.

Presentación: Se acompaña de uvas y pasas a modo de guarnición.

Barquitas rellenas de espárragos

- **Masa de buñuelos (según receta pág. 116)**
- **12 espárragos**

- **Salsa mayonesa según receta (pág. 115)**

manos a la obra

Buñuelos: Se confeccionan con el mismo procedimiento que la receta, pero con la mitad de ingredientes. • Una vez preparada se pone esta masa en la manga pastelera, con boquilla de diámetro de 1/2 cm. • Se formarán palitos de unos 6 centímetros sobre una placa forrada con papel vegetal engrasado. • Hornear a 180° durante 20 minutos. • **Relleno:** Se cortan las puntas de los espárragos del tamaño de los buñuelos. • Se confecciona la mayonesa o se compra en el comercio.

Presentación: Se abren los buñuelos con un cuchillo bien afilado y se rellenan con la mayonesa y los espárragos.

Berenjenas con queso

- **2 berenjenas medianas**
- **1 queso camembert**
- **6 cucharadas de salsa de tomate (pág. 114)**

- **Orégano picado**
- **Harina especial para rebozar**
- **2 dl de aceite de oliva**

manos a la obra

Se pelan las berenjenas y se cortan en sentido longitudinal, de 1/2 centímetro de grosor. • Se introducen durante 10 minutos en un bol con agua salada. • Se escurren muy bien y se rebozan en harina, friéndolas en aceite muy caliente para que queden crujientes.
Presentación: Se embadurnan las berenjenas con la salsa de tomate y se cubren con un buen trozo de queso camembert. • Espolvoreamos el orégano y servimos.

Crêpes rellenas de setas con besamel

- 12 crêpes del comercio o hechas en casa según receta (pág. 116)
- 500 gr de setas de temporada
- 1 cebolleta picada
- 2 dientes de ajo picados
- 3 cucharadas de aceite
- 10 cucharadas de salsa besamel según receta (pág. 113)
- 1 latita de trufas Estivium

manos a la obra

Crêpes: Se confeccionan las crêpes según la receta. • **Relleno:** Se confecciona la besamel dejándola enfriar con un papel *film* adherido a la superficie. • Se saltea la cebolla en una sartén honda y cuando esté transparente, se añade el ajo. • Se limpian de tierra las setas y después de quitarles el tallo, se agregan al salteado. • Cocemos el conjunto hasta que se haya evaporado el líquido que sueltan. • Se sazona y mezcla con la salsa besamel.

Presentación: Se divide el relleno entre las crêpes y éstas se doblan en cuatro para que queden formando un triángulo. • Se espolvorean, por encima, con trufas Estivium picadas.

Champiñones rellenos con gambas y jamón

- 6 champiñones cultivados
- 6 colas de gambones
- 50 gr de viruta de jamón ibérico
- 3 dientes de ajos picados
- 1 1/2 dl de aceite de oliva
- Perejil picado

manos a la obra

Relleno: Se pelan las colas de los gambones y se fríen en un poco de aceite. Se reservan.
• **Champiñones:** Seleccionamos los champiñones más grandes para rellenar y ahuecamos un poco el interior del sombrero. • Freímos el ajo picado, lo espolvoreamos con perejil y rellenamos el interior de los champiñones con la mezcla.• Se vierte la grasa sobrante por encima. • Introducimos en el horno precalentado a 160º, durante 20 minutos.
Presentación: Sacamos del horno los champiñones y les añadimos las virutas de jamón y los gambones fritos.

Escalibada

- **2 patatas**
- **2 cebollas**
- **2 pimientos verdes**

- **2 berenjenas**
- **Sal**
- **Aceite de oliva virgen**

manos a la obra

Lavamos las verduras y las patatas, las cortamos en aros muy finos y las colocamos por orden en una gran fuente de horno. • Se espolvorea de sal y se salpica con los dedos algo de aceite. • Las cubrimos con papel de aluminio y las asamos 30 minutos a 170°. • Transcurrido este tiempo se sacan del horno. • A continuación se gratinan en una placa rallada cuando esté muy caliente. Se retiran en cuanto empiecen a tostarse las verduras. Vuelven a rociarse con aceite de oliva virgen.

Nota: Este plato es de origen catalán. Asaban las verduras sobre brasas en distintas tandas según las necesidades de cocción. Aquí se ha simplificado la receta.

Gazpacho

- 250 gr de pan
- 1 kg de tomates maduros rojos
- 1 pieza de pimiento verde
- 1 diente de ajo
- 50 gr de pepino
- 1 dl de aceite
- 1 cucharada de vinagre
- Sal y una pizca de azúcar

- Agua y hielo

GUARNICIÓN:
- 1/2 pepino
- 1/2 pimiento verde
- 1 pimiento de piquillo en conserva
- 1/2 cebolla
- 1 huevo duro
- Dados de pan fritos

manos a la obra

Ponemos la miga de pan a remojo durante unas horas. • En el vaso del triturador eléctrico introducimos el pan previamente escurrido, los tomates, el pimiento, el pepino, el ajo, el aceite, la sal, el azúcar y un vasito se agua. • Se tritura durante un par de minutos para que la emulsión sea consistente. • Se pasa por el pasapurés y se vierte en un cuenco. Si la crema resultara muy espesa, se aclara con algo más de agua.

Presentación: Lo servimos con cubitos de hielo. Las verduras y el huevo se pican por separado.
• La guarnición se presenta, alrededor o bien en bandeja aparte.

Habas a la catalana

- **1 kg de habas**
- **200 gr de butifarra blanca**
- **2 lonchas de bacón picado**
- **2 dientes de ajo**
- **1 cebolla picada**

- **1 vasito de jerez oloroso**
- **1 vasito de aceite de oliva**
- **8 ramitas de hierbabuena picada**
- **Sal**

manos a la obra

Se desgranan las habas. Es conveniente también quitarles el calzón. Se reservan. • En una cazuela de barro rehogamos la cebolla y los dientes de ajo picados, añadimos el bacon y cuando todo esté transparente, agregamos las habas. • Cubrimos la mezcla con agua. • Incorporamos el jerez, dos ramitas de hierbabuena picada, sal y agua que las cubra. • Cocemos las habas hasta que estén tiernas. • Añadimos la butifarra en rodajas.
Presentación: Se sirven en la misma cazuela de barro, adornadas con el resto de hierbabuena.

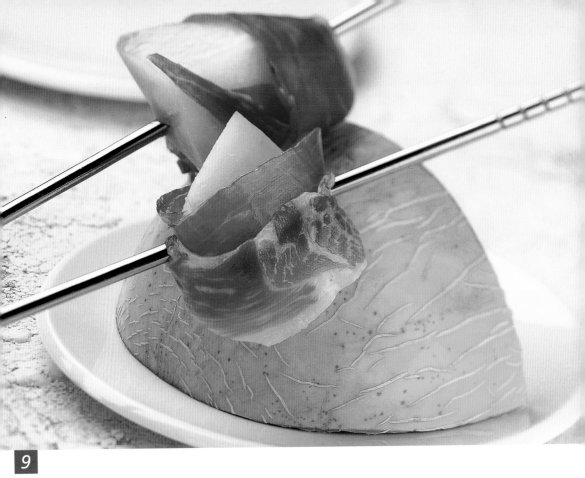

Melón con jamón

- **1 melón amarillo**
- **100 gr de jamón**

manos a la obra

Se parte en dos el melón y de cada mitad se sacan tres rajas. • Se limpia bien de semillas y se corta en trozos de 2,5 cm. • Se corta el jamón en lonchas muy finas de un tamaño que pueda cubrir cada trozo de melón.

Presentación: Se coloca el jamón de modo que envuelva los trozos de melón y se ensartan con un pincho metálico o de madera.

Paella de verduras

- **100 gr de puerros picados (parte blanca)**
- **100 gr de cebolla picada**
- **150 gr de champiñón limpio laminado**
- **1 l de agua y una pizca de sal**
- **150 gr de repollo en tiritas**
- **150 gr de guisantes congelados**
- **150 gr de judías verdes en cuadraditos**
- **150 gr de zanahorias baby congeladas**

- **1 pastilla de extracto de verduras**
- **3 filamentos de azafrán**
- **2 cucharadas de salsa de tomate (pág. 114)**
- **475 gr de grano redondo de Calasparra (dos tazones)**
- **4 tazones de caldo y unas gotas de limón**
- **1 1/2 dl de aceite de oliva de 0,4°**
- **1 pimiento morrón y 1 huevo duro**

manos a la obra

Se vierte 1/2 dl de aceite en la paellera con el puerro, la cebolla y los champiñones. Se rehoga hasta que se evapore todo el líquido. • En una cacerola se cuecen el resto de las verduras hasta que estén a punto y se mezclan con el salteado de champiñones. • Se vierte el arroz y el resto del aceite en la paellera y se saltea hasta que el arroz coja un tono opaco. • Lo aderezamos con el jugo del limón y sazonamos con generosidad. • Añadimos 4 tazones de agua caliente y cuando hierva lo introducimos en el horno a 180° durante 20 minutos. Comprobamos el punto del arroz. Si aún está duro, lo tapamos 5 minutos. • **Presentación:** Servimos el arroz en la misma paella o lo distribuimos en 6 cazuelitas adornado con el pimiento morrón y 1 rodaja de huevo duro.

Pan con tomate, ajo y perejil

- **Pan de baguette**
- **6 tomates**
- **6 cucharadas de pan rallado**
- **2 dientes de ajo**
- **6 cucharadas de perejil**
- **1 cucharada de pimentón dulce**

- **6 cucharaditas de aceite de oliva**
- **Sal, azúcar y perejil**

PURÉ DE TOMATE:
- **2 dientes de ajo**
- **3 cucharadas de aceite**
- **Sal**
- **Una pizca de azúcar**

manos a la obra

Se colocan los tomates sobre su parte más plana. • Se parten por un poco más arriba de la mitad y se vacía el interior. Reservamos la pulpa. • Sazonamos los tomates con sal y una pizca de azúcar y los volcamos para que escurran líquido. • Se enderezan y se rellenan con un picadillo de ajo, perejil, pan rallado, pimentón y aceite de oliva. • Se asan durante 20 minutos a 160º.
• **Puré de tomate:** Se tritura la pulpa reservada de los tomates en un robot eléctrico con el ajo, el aceite, sal y una pizca de azúcar.
Presentación: Se corta el pan en 6 rebanaditas y se embadurnan con el tomate triturado. Se coloca encima el tomate asado. • Se espolvorean de perejil y se sirven.

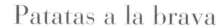

Patatas a la brava

- **700 gr de patatas**
- **1/2 litro de salsa de tomate (pág. 114)**
- **1 trocito de guindilla o un** poco de salsa de Tabasco
- **6 cucharadas de aceite de oliva**
- **Aceite abundante para freír**

manos a la obra

Se pelan las patatas y se cortan en trozos desiguales. • Se fríen en aceite abundante y se reservan. • Se fríe la guindilla en el aceite y se vierte por encima de las patatas. • Añadimos la salsa de tomate, impregnándolas bien, sin que se saturen.

Presentación: Las servimos en un plato o en 6 cazuelitas de barro.

Patatas al alioli

- 750 gr de patatas
- Salsa alioli según receta (pág. 113)
- 1 cucharada de mostaza suave
- 1 cucharada de sal marina
- Sal de mesa
- 1 pizca de pimienta recién molida

manos a la obra

Se pelan y trocean las patatas del tamaño que vemos en la foto. • Las cocemos en agua con sal marina hasta que estén tiernas pero que no se deshagan. • Se escurren y se dejan enfriar. Las mezclamos con el alioli y rectificamos el sazonamiento.

Presentación: Se sirven en un plato o en 6 cazuelitas.

Picadillo helado cordobés

- 2 tomates maduros pero firmes
- 2 pepinos
- 1 calabacín
- 2 pimientos verdes

- 1 cebolleta
- Aceite de oliva
- Vinagre de Jerez
- Sal y una pizca de azúcar

manos a la obra

Se pican los pepinos, el tomate, los pimientos y la cebolleta. Se lava el calabacín y se pica su piel. Se reserva. • **Vinagreta:** en una cucharadita de vinagre de Jerez, se disuelve la sal, el azúcar y la pimienta y se bate todo bien con el aceite.

Presentación: Se mezclan las verduras con la vinagreta y se sirve muy frío con dos cubitos de hielo por encima.

Nota: Los pepinos menos maduros son más digestivos.

Pimientos del piquillo rellenos de bacalao

- 200 gr de bacalao en salazón troceado
- 1 lata de pimientos del piquillo en conserva (unos 425 gr), de la que 2 pimientos se reservan para la salsa

- Salsa besamel según receta (pág. 113)
- Unas gotas de concentrado de carne
- Sal

manos a la obra

Se corta a trozos el bacalao y se pone a remojo durante 48 horas. • Se guardará en la nevera y se le cambiará el agua unas 6 veces. • En el momento de prepararlo, se introducirá en agua fría, y se pone a cocer retirándolo antes de que hierva. Se limpia de piel y espinas y se desmiga. • Se prepara una besamel que se dividirá en dos partes. • A una parte, se le agrega el bacalao y se deja que dé un hervor. Con ello se rellenan los pimientos y se colocan en una fuente de horno. • **Salsa de pimientos:** A la otra mitad de la besamel se le añaden los pimientos y el concentrado de carne. • Después de triturarlo en el robot eléctrico, se vierten sobre la fuente y se hornean durante 1/2 hora a 180º.

Pimientos rellenos de cangrejo y carabinero

- **Pan de barra**
- **6 pimientos del piquillo en conserva**
- **200 gr de carne de cangrejo en conserva**
- **2 carabineros**
- **Salsa mayonesa según receta (pág. 115)**

- **Hojas de laurel**
- **2 cucharadas de aceite de oliva**
- **1 cucharada de maicena Express**
- **Alcaparras**

manos a la obra

Se cuecen los carabineros en poca agua salada con 2 hojas de laurel. • Transcurridos 2 minutos de cocción, se sacan, se dejan enfriar y una vez pelados se cortan en daditos. En 3/4 de litro de este agua se cuecen las cabezas y las pieles. Se cuelan y aplastan a través de un pasapurés. Se prepara una salsa espesando 1/2 litro de este líquido con la maicena y dejando que dé un hervor. En frío se mezcla con la mayonesa que en esta ocasión se habrá preparado muy espesa y sin vinagre. • Se mezcla el cangrejo con los carabineros y la salsa. • Se rellenan los pimientos con esta mezcla.

Presentación: Se corta el pan en 6 rebanaditas, colocando un pimiento relleno encima de cada una de ellas y se adorna con las alcaparras.

Pimientos rellenos de morcilla

- **12 pimientos del piquillo**
- **2 morcillas de 200 gr cada una**
- **1/2 l de salsa de tomate (pág. 114)**

- **3 cucharadas de nata**
- **Sal**
- **Pimienta**

manos a la obra

Se prepara la salsa de tomate y se añade la nata. • Se destripan las morcillas y se pica el interior que freiremos sin dejar de remover durante un par de minutos. • Se rellenan los pimientos con la morcilla. • Los colocamos sobre un fondo de salsa de tomate en cazuelitas de barro rociándolas con unas gotas de aceite. • Se hornean a 170° durante 15 minutos. • Los servimos calientes.

Pimientos rojos y ventresca

- 6 rebanadas de pan de chapata
- 3 pimientos rojos (unos 200 gr)
- 50 gr de cebolla

- 100 gr de ventresca de atún en conserva de aceite de oliva
- 5 cucharadas de aceite de oliva de 0,4°

manos a la obra

Se asan los pimientos tapados con papel de plata durante 1 hora. Se enfrían en el mismo papel. • Se pelan y cortan en tiras. • En una sartén, rehogamos el aceite, la cebolla muy picadita y los pimientos.

Presentación: Se divide la fritada de pimientos en 6 rebanadas de pan. • Por encima se colocan tiritas de ventresca de atún. La ventresca es el pecho del atún y es muy jugosa y tierna.

Nota: Tiene un precio más elevado que el atún, por el cual podría sustituirse la ventresca.

Pisto

- **500 gr de calabacines pelados y cortados a dados**
- **300 gr de pimientos verdes picados**
- **100 gr de cebolla picada**
- **150 gr de tomates escalfados y pelados**
- **1 pimiento rojo**
- **Aceite de oliva**
- **Sal, pimienta y azúcar**
- **2 huevos duros para guarnición**

manos a la obra

Se asa el pimiento rojo durante 1 hora envuelto en papel de plata. • Se deja enfriar tapado, se pela y se corta a daditos. • Se saltea la cebolla en 2 decilitros de aceite. A los 5 minutos, agregamos los pimientos verdes y, pasados 15 minutos más los calabacines y el pimiento rojo. Se sazona y lo dejamos estofar todo lentamente. • Transcurrida 1/2 hora se añaden los tomates, y se cuece todo junto, a fuego lento, durante 10 minutos más. • Finalmente se deja reposar y se quita la grasa que flote por encima. • Si quedara demasiado líquido, se deja cocer un poco más y se salpimenta.

Presentación: Se sirve en 6 cazuelitas adornado con los huevos duros cortados en ángulos.

Salmorejo

- 1 kg de tomates maduros
- 1 diente de ajo
- 1 tazón lleno de migas de pan
- 1/4 l de aceite de oliva
- 1 cucharadita de vinagre (optativa)

- Una pizca de azúcar
- Sal
- 100 gr de jamón de Jabugo en tiritas
- 2 huevos duros picados

manos a la obra

Se introducen los tomates y los dientes de ajo en el vaso del robot eléctrico. • Después de triturarlos se agrega el pan y se bate algo más. • Con el robot en funcionamiento se va vertiendo el aceite poco a poco. • Cuando se termine el aceite, se sazona y se tritura nuevamente a la velocidad máxima durante 2 minutos para emulsionar el conjunto. • Se mete en la nevera.

Presentación: Se sirve muy frío en cuencos individuales acompañado con virutas de jamón y huevo duro.

Tartaletas de champiñones a la crema

- 6 tartaletas de masa quebrada congelada o hecha en casa según receta (pág. 117)
- 1/2 kg de champiñones
- 1/2 cebolla muy picada
- 50 gr de bacon muy picado
- 2 cucharadas de sopa de cebolla de sobre
- 1 cucharada de harina
- 1/4 l de nata
- 1 cucharadita de salsa Worcestershire (Perrins)
- 75 gr de mantequilla
- 2 cucharadas de aceite de oliva
- Sal

manos a la obra

Se quitan los sombreros de los champiñones y se lavan al grifo sin dejarlos sumergidos en agua. • Se cortan en láminas que reservamos tapadas para evitar que se oxiden y cambien de color. • Se fríe el bacon en la mantequilla mezclada con el aceite y cuando esté crujiente se añade la cebolla. • Transcurridos 5 minutos añadimos el champiñón tapándolo para que se estofe todo lentamente. • **Salsa:** En frío se vierte la nata sobre la harina removiendo sin cesar y se cuece. Cuando dé un hervor, se añade la sopa de cebolla y la salsa Perrins sin dejar de remover. • A los 5 minutos se mezcla con el rehogo de los champiñones.
Presentación: Se reparte la mezcla en 6 tartaletas.

Tartaletas de ensaladilla rusa

- 6 tartaletas de masa quebrada comprada o según receta (pág. 117)
- 200 gr de patatas peladas y cortadas a
  dados
- 250 gr de guisantes sin vaina
- 250 gr de remolacha (optativa)

- 250 gr de zanahorias limpias cortadas a
  dados
- 1/4 l de salsa mayonesa en conserva o
  hecha en casa según receta (pág. 115)
- Sal y pimienta

manos a la obra

Cocemos las zanahorias, junto con los guisantes y añadimos 15 minutos después las patatas y la sal. • Ya fríos se mezcla todo con la mayonesa, poco a poco, para evitar que se saturen de salsa.
Presentación: Se reparte la mezcla en 6 tartaletas.
Nota: Si se usa remolacha, cocerla en olla exprés durante 20 minutos sin quitarle la piel ni el tallo. • Ya fría se pela y se corta en dados. Puede comprarse también en conserva o al vacío.

huevos

Crêpes rellenas de revuelto de pimientos

- **12 crêpes congeladas o hechas en casa según receta (pág. 116)**
- **6 pimientos del piquillo en conserva**
- **1 cebolla picada**
- **4 huevos**
- **2 huevos duros para adornar**
- **3 cucharadas de aceite de oliva**
- **Sal**

manos a la obra

En el caso de comprar las crêpes, descongelar a temperatura ambiente. Reservar. • Se pican los pimientos y se rehogan durante unos 15 minutos. • Se baten los huevos y se mezclan con los pimientos y la grasa que hayan soltado en la sartén. • Remover, a fuego moderado, hasta que cuajen. • Retiramos la sartén del fuego y seguimos removiendo. Deben quedar jugosos.
Presentación: Se reparte el relleno entre las crêpes y se doblan en cuatro partes para que queden formando un triángulo. • Esparcir por encima el picadillo de los huevos duros.

Huevos duros rellenos rebozados

- **6 huevos**
- **100 gr de chorizo**
- **Salsa besamel (pág. 113) con 50 gr de harina**

- **2 huevos duros**
- **Harina**
- **Pan rallado**
- **Aceite de oliva abundante para freír**

manos a la obra

Se confecciona la salsa besamel con 50 gr de harina y la misma cantidad de los ingredientes de la receta. • Se destripa el chorizo, se pica menudo y se incorpora a la besamel. Se cuece durante 1 minuto. • Cocemos los huevos en agua salada durante 15 minutos, se refrescan en el grifo y se pelan. • Se cortan por la mitad, se sacan las yemas y se pican. • **Relleno:** Se mezclan las yemas con la besamel de chorizo. • Con ello se rellenan las claras dándoles una forma abombada. • Se rebozan en harina y huevo batido y se fríen en aceite abundante y caliente.

Huevos estrellados sobre patatas

- 1 1/2 kg de patatas
- 2 dientes de ajo pelados
- 6 huevos medianos

- Sal
- Aceite de oliva abundante

manos a la obra

Se pelan las patatas y se cortan a lo largo, de 3/4 de centímetro de grosor. Cuando el aceite alcance una temperatura de 175°, introducimos las patatas en varias tandas para freírlas. Controlamos el calor para que las patatas se cuezan por dentro sin dorarse. Cuando estén a punto, las pasamos a un colador. • Se deja un fondo de aceite en la sartén y se reponen las patatas. • Mientras vuelven a calentarse las patatas se estrellan los huevos de uno en uno sobre ellas, rompiéndolos adrede. • Se sazonan.

Huevos rellenos de atún

- 6 huevos
- 2 pimientos del piquillo
- Salsa mayonesa comprada o según receta (pág. 115)

- 2 cucharadas de aceite
- 1 lata de atún en aceite de oliva
- Pan de baguette

manos a la obra

Se cuecen los huevos en agua fría con sal durante 15 minutos. Se descascarillan bajo el chorro de agua fría para frenar la cocción. Se cortan por la mitad y se saca la yema. Para que puedan sostenerse se corta una pequeña lámina de la zona abombada. • **Relleno:** Trituramos las yemas picadas con un pimiento picado, el atún desmigado y 2 ó 3 cucharadas de mayonesa. **Presentación:** Rellenamos las claras y ponemos los huevos sobre 6 rebanadas de pan. • Cortamos 1 pimiento en 6 cuadraditos y adornamos cada huevo.

Revuelto de ajetes

- 100 gr de ajetes tiernos
- 4 huevos
- 2 cucharadas de nata
- Sal

- 3 cucharadas de aceite
- 6 tartaletas de masa quebrada
  o según receta (pág. 117)

manos a la obra

Se cortan los ajetes por la mitad del tallo y se trocean en tiritas de 3 cm utilizando únicamente la parte blanca. • Se rehogan en una sartén con aceite, hasta que estén blandos. Una vez a punto, se sazonan. • Batimos los huevos, añadimos un pellizco de sal y los mezclamos con la nata. • Se vierte la mezcla en la sartén con los ajetes. • Removemos hasta que los huevos se cuajen y la mezcla adquiera una consistencia cremosa.

Presentación: Se sirve este preparado sobre las tartaletas.

Tortilla de calabacín

- **6 huevos**
- **2 dl de aceite**
- **Mayonesa industrial**
- **1 kg de calabacines sin pelar**

- **2 cebollas picadas**
- **Sal**
- **Pan de chapata**

---

manos a la obra

En 1 dl de aceite se fríen despacio las cebollas sazonadas con sal. • Se lavan los calabacines y, sin quitarles la piel, se cortan en rodajas finas y se fríen con las cebollas hasta que estén transparentes. No deben freírse demasiado para evitar que se deshagan y pierdan sabor. • Se retira el rehogo y se coloca en un escurridor para que suelte toda su agüilla. • Una vez bien escurrido, lo calentamos en una sartén antiadherente con 1 dl de aceite. • Se baten los huevos en un bol, se sazonan y se vierten en la misma sartén de los calabacines, mezclándolo todo con cuidado. • Se baja el fuego para que vaya cuajándose despacio. • Con la ayuda de una tapa, se le da la vuelta a la tortilla y se cuaja por el otro lado.

Presentación: Ya fría se corta en 6 partes y se coloca sobre 6 rebanadas de pan cortadas al bies que estarán untadas de mayonesa.

Tortilla de patatas

- 1 kg de patatas
- 200 gr de cebolla picada
- 8 huevos de 50 gr

- 1 dl de aceite de oliva de 0,4°
- Sal

manos a la obra

Pelamos las patatas y las cortamos en rodajas finas. • Se calienta el aceite en una sartén antiadherente de 25 cm de diámetro y ponemos las patatas. • A los 5 minutos se añaden la cebolla y la sal. Mantenemos el fuego alto y, de vez en cuando, con la ayuda de una espátula, movemos las patatas para que no se peguen retirándolas del fondo y colocándolas encima. Cuando estén blandas se escurren en un colador. • Se mezclan las patatas con los huevos batidos removiendo una sola vez y se rectifica de sal, al gusto. • Se calientan 3 cucharadas del aceite sobrante en la sartén y cuando humee, se vierte la mezcla. • Se mueve la sartén para que la tortilla no se agarre y se redondean los bordes con la espumadera • Se baja el fuego y se deja cuajar la tortilla lentamente. • Cuando esté jugosa por dentro, se vuelca sobre un plato y se desliza de nuevo a la sartén para que se dore unos segundos por el lado opuesto.
Presentación: Una vez fría se corta en trozos.

Tortilla de pimientos del piquillo y bacalao

- 100 gr de cebolla picada
- 400 gr de pimientos verdes picados
  sin semillas
- 3 dientes de ajo

- 8 pimientos del piquillo de lata
- 100 gr de bacalao desmigado
- 8 huevos
- 5 1/2 cucharadas de aceite

manos a la obra

Ponemos a remojo el bacalao durante 12 horas cambiándole el agua tres veces. • En una sartén de 20 cm de diámetro confeccionamos un salteado rehogando en aceite la cebolla. Cuando transparente se añaden el ajo y los pimientos verdes, hasta que estén tiernos. Entonces agregamos los pimientos de piquillo y se añade el bacalao y se rehoga todo junto con 1/2 cucharada de aceite. Debe hacerse durante 5 minutos para que no se tueste el bacalao. Se sazona. • Batimos los huevos y los incorporamos. Dejamos que se fría la tortilla a fuego muy lento. Cuando esté cuajada pero jugosa por dentro se le da la vuelta volcándola sobre un plato y deslizándola de nuevo en la sartén para que se dore y cuaje por el lado opuesto.

Tortilla multicolor

- 12 huevos (3 para cada tortilla)
- Aceite de oliva y sal
- 1 lata de 150 gr de atún claro
- 2 cucharadas de espinacas congeladas
- 100 gr de judías verdes planas

- 10 puntas de espárragos blancos en conserva
- 4 pimientos del piquillo en conserva picaditos
- 3 cucharadas de salsa mayonesa

manos a la obra

Tortilla de atún: Se baten 3 huevos con sal y se mezclan con el atún desmigado. Se confecciona una tortilla plana en una sartén de 20 cm de diámetro con 3 cucharadas de aceite. • **Tortilla de espinacas y judías verdes:** Se cuecen las judías. Se fríen las espinacas en 3 cucharadas de aceite, añadimos las judías, los huevos batidos y sal. Confeccionamos la tortilla. • **Tortilla de espárragos:** Calentamos los espárragos en la sartén con 3 cucharadas de aceite, añadimos los huevos y la sal. Confeccionamos la tortilla. • **Tortilla de pimientos:** Freímos los pimientos, agregándoles huevos y sal. Confeccionamos la tortilla.

El montaje: Hacemos una torre de tortillas alternando los colores, y las cubrimos con mayonesa.

pescados y mariscos

Almejas a la marinera

- 1 kg de almejas
- 4 dientes de ajos picados
- 1 dl de aceite de oliva
- 1 dl de vino blanco

- 2 dl de caldo de las almejas
- 2 cucharadas de perejil picado
- 1 cucharada de harina
- Sal

manos a la obra

Se chocan las almejas unas contra otras para remover la arenilla y se sumergen en agua salada. A la 1/2 hora se lavan y cuecen en 2 dl de agua. Se sacan según se vayan abriendo.

• Colamos el caldo y lo reservamos. • Se rehogan los ajos en el aceite y, antes de que tomen color, se añade una cucharada de harina disuelta en el vino y el caldo de las almejas.

• En cuanto hierva se incorporan las almejas y se espolvorean de perejil. Bastarán 1 ó 2 minutos de cocción.

Presentación: Se reparten las almejas en 6 cazuelitas.

Anchoas marinadas

- **15 anchoas**
- **Pan**
- **1 cucharadita de sal**
- **1 cucharada de azúcar**
- **4 cucharadas de vinagre de vino tinto**
- **10 cucharadas de aceite de oliva**
- **1 hoja de laurel picada**
- **2 cucharadas de perejil picado**
- **1 cucharada de estragón picado**
- **Pimienta molida**

manos a la obra

Se prepara el adobo o marinado diluyendo la sal y el azúcar en el vinagre. A continuación añadimos los demás ingredientes: el aceite, el laurel, el estragón y una cucharada de perejil picado. • Se quita la cabeza y la espina central de las anchoas. • Se sacan los lomos enteros y se ponen en una fuente amplia, que no sea metálica. • Los regamos con el adobo y los cubrimos con papel *film*. Deben reposar 24 horas en la nevera antes de consumir las anchoas.

Presentación: Se corta el pan en 6 rebanadas de 1 cm. • Se riega con unas gotas de adobo y se ponen encima los lomos de las anchoas. • Se vierte sobre ellas otra cucharadita de marinado, y se espolvorea con el perejil picado restante.

Nota: Tendrán una conservación de 10 días.

Anchoas rellenas de pimientos

- 14 anchoas
- 3 cucharadas de salsa de tomate en conserva
- 6 ñoras (pimientos secos)
- 1 dl de aceite de oliva más 3 cucharadas

- 2 cucharadas de pan rallado
- 1/2 cucharadita de azúcar
- Sal
- 3 huevos
- Harina

manos a la obra

Se lavan las anchoas y se les quita la cabeza y la espina central. Los lomos quedarán planos.
Relleno: Se trituran en un robot eléctrico las ñoras con 1 dl de aceite. • Se fríe el pan rallado en tres cucharadas de aceite e incorporamos el aceite de las ñoras, la salsa de tomate, sal y una pizca de azúcar. • Se unta con el relleno el lomo de una anchoa y se cubre con el otro a modo de sándwich.
Finalización: Rebozamos las anchoas en harina, huevo batido y de nuevo con harina. Las freímos en aceite abundante.

Bacalao ahumado relleno de piperrada

- 6 rebanadas de pan de chapata
- 6 lonchas de bacalao ahumado
- 3 pimientos rojos
- Tiritas de cebollino

PIPERRADA:
- 2 cucharadas de aceite de oliva

- 100 gr de cebolla picada
- 2 pimientos verdes picados
- 1 pimiento rojo de lata
- 2 dientes de ajo picados
- 3 cucharadas de tomate frito en conserva

manos a la obra

Se asan los pimientos rojos durante 1 hora envueltos en papel de plata. • Se dejan enfriar. • Se pelan y se cortan en 6 trozos. • **Piperrada**: Se rehoga la cebolla en aceite y cuando esté transparente, se incorporan los ajos y los pimientos verdes. Cuando esté todo cocido añadimos 3 cucharadas de tomate frito y sal.

Presentación: Se extienden sobre la mesa las 6 láminas de bacalao. Se rellenan con la piperrada y se enrollan sobre sí mismas. Se coloca medio pimiento rojo sobre cada rebanada de pan. • Encima se ponen los rollitos de bacalao, adornados con tiritas de cebollino.

Bocaditos de sardinas en aceite de oliva

- **6 medianoches alargadas**
- **6 sardinas enlatadas en aceite de oliva**
- **12 cucharaditas de salsa de tomate**
- **1/2 cebolla muy picada**
- **1 tomate**

manos a la obra

Se quita la piel a las sardinas, raspándolas suavemente con un cuchillo y se retira su espina central. Así quedan los lomos limpios. • Se sumerge el tomate en agua hirviendo unos 3 minutos y se pela. Se trocea la pulpa en daditos. • Se pica la cebolla muy menuda.

Presentación: Se abren las mediasnoches por la mitad y se riegan con unas gotas del aceite de las sardinas y con salsa de tomate. • Se cubren las medianoches con el picadillo de tomate y cebolla y se rellenan con los lomos de las sardinas.

Bonito marinado en aceite de oliva

- 6 rebanadas de pan de chapata
- 500 gr de bonito
- 75 gr de bacon cortado en tiritas y frito
- 6 cucharaditas de jugo de carne concentrado Maggi
- 1 cucharada de vino dulce Pedro Ximénez

- 3 cucharadas de cebolla picada
- 3 cucharadas de queso manchego rallado
- Aceite de oliva virgen
- Sal
- Pimienta recién molida

manos a la obra

Congelamos el bonito para que al endurecerse pueda cortarse en láminas finísimas. Las colocamos extendidas en una fuente. Las salpimentamos y rociamos con el Pedro Ximénez y el jugo de carne. Se cubren con aceite dejándolas en maceración de 1 a 2 horas.
Presentación: Colocamos las láminas de bonito sobre las rebanadas de pan. Espolvoreamos el queso y esparcimos por encima la cebolla picadísima y el bacon.

Boquerones en vinagre y sardinas

- 6 rebanadas de pan de chapata
- 1 kg de boquerones anchoas
- 6 sardinas de tamaño grande
- 3 pimientos rojos

MARINADA:
- 1 cebolla muy picada

- 2 dientes de ajo picados
- 1 cucharada de hierbas aromáticas
- 8 granos de pimienta negra
- 1/2 l de aceite
- 1 dl de vinagre
- Sal y dos cucharadas de azúcar

manos a la obra

Se mezclan todos los ingredientes de la marinada. • Se limpian los boquerones y se sacan los lomos. Se introducen en la marinada durante dos horas. • Las sardinas se limpian de igual forma. Se extienden sobre una placa de horno engrasada y después de sazonarlas se asan durante 5 minutos a 170º. • Se asan los pimientos durante 50 minutos cubiertos con papel de aluminio. Los dejamos enfriar en su papel. Una vez fríos, se pelan.

Presentación: Se extienden tiras de pimientos sobre el pan. Encima se colocan los boquerones en vinagre que se cruzan con las sardinas.

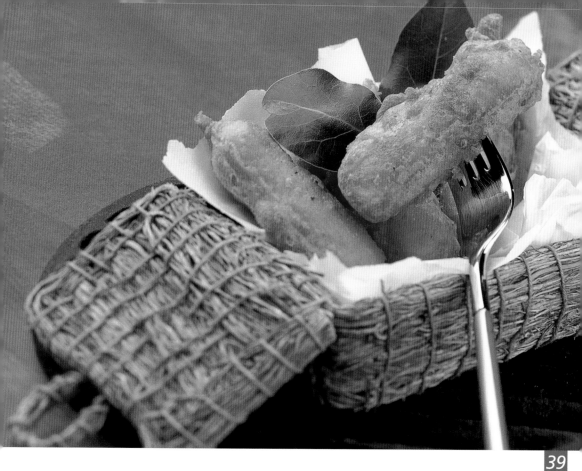

Buñuelos de bacalao

- 3/4 kg de lomo de bacalao en salazón
- Masa de buñuelos según receta (pág. 117)
- Aceite abundante

manos a la obra

Se tendrá el bacalao en remojo 24 horas, cambiando el agua unas seis veces. Se pone a cocer en agua fría. En el momento en que parezca que va a romper a hervir se retira del agua. Se limpia de espinas y se corta en trozos regulares. • Se prepara la masa de los buñuelos en el momento en que vayan a freírse, para degustarlos en caliente. • Se calienta el aceite en una sartén amplia. Cada trozo de bacalao se moja e impregna en la masa de buñuelos, friéndolo hasta que la masa esté cocida por dentro.

Calamares pequeños en su tinta

- **24 calamares**
- **1 cebolla picada**
- **2 dientes de ajo picados**
- **1 pimiento verde picado**
- **Aceite de oliva**

- **2 dl de salsa de tomate según receta (pág. 114)**
- **Tinta de los calamares o 3 bolsitas de tinta**
- **Sal**

manos a la obra

Se limpian muy bien los calamares quitando una piel muy fina que los recubre. Se cortan las aletas y se sacan las tripas y un cartílago huesudo que recorre su cuerpo. Se reservan los tentáculos y una bolsita alargada que contiene la tinta. Se lavan por fuera y se les da la vuelta, como si fueran un guante, lavándolos de nuevo. Se pican 6 calamares enteros y los tentáculos y aletas del resto. Se sofríe todo y una vez hecho se rellenan los 18 calamares restantes.

• **La salsa:** Estofamos en aceite la cebolla, los ajos y el pimiento. Cuando esté todo a punto, añadimos la salsa de tomate. Machacamos las bolsitas de tinta con un poco de sal gorda y las agregamos algo de agua. • Se cuecen los calamares en esta salsa hasta que estén tiernos. • Rectificamos de sal.

Presentación: Se reparten los chipirones en las 6 cazuelitas de barro y se sirven calientes.

Cazuelita de garbanzos, espinacas y bacalao

- 250 gr de garbanzos
- 1 cebolla entera y pelada
- 1 cabeza de ajos más dos
  dientes de ajo picados

- 200 gr de espinacas congeladas
- 150 gr de bacalao en salazón desmigado
- 1 dl de aceite de oliva
- Sal

manos a la obra

Se pone el bacalao en remojo durante 24 horas y se cambia el agua varias veces. • Los garbanzos se ponen en agua salada desde la víspera. Se tira este agua y se ponen los garbanzos a cocer en 4 veces su volumen de agua; añadimos la cebolla y la cabeza de ajos. Cuando los garbanzos estén casi tiernos se sacan la cebolla y la cabeza de ajos y se pasan por el pasapurés.
• En una sartén, con el fondo cubierto de aceite, rehogamos los dos ajos picados, incorporamos el puré de cebolla y ajos, las espinacas y el bacalao. • Una vez sofrito lo volvemos a introducir en la cazuela de los garbanzos con sal y se deja cocer hasta que los garbanzos estén a punto.
Presentación: Los distribuimos entre 6 cazuelitas de barro.
Nota: Es imposible concretar el tiempo de cocción, dada la distinta calidad de los garbanzos y del agua. Si se utiliza olla exprés compruebe como están a los 20 minutos.

Cocochas de bacalao

- 1 kg de cocochas de bacalao
- 4 cucharadas de aceite de oliva
- 6 cucharadas de agua
- 6 dientes de ajo picados sin germen
- Unas gotas de aceite de guindilla o tabasco
- 4 cucharadas de perejil picado
- Sal

manos a la obra

En una sartén grande se pone el aceite, los ajos picados y una pizca de sal. Se rehoga todo despacio, sin que llegue a dorarse y se deja enfriar completamente. • Se añaden las cocochas y se sazonan con otro poquito de sal. Movemos la sartén con un vaivén y añadimos unas 6 cucharadas de agua poco a poco, según vaya espesándose la salsa. Cuanto más agua se agregue menos ligado quedará el jugo. La cantidad de agua exacta no se puede precisar. • Añadimos las gotas de aceite de guindilla y el perejil. Una vez bien cocidas las cocochas las retiramos del fuego.

Presentación: Las repartimos, con su jugo, en 6 cazuelitas.

Nota: No debe hervir la salsa durante la cocción de las cocochas.

Chipirones encebollados

PARA DOS PERSONAS
- 6 chipirones pequeños
- 3 cebolletas picadas
- 1 cebolla cortada en tiras

- 1 puerro (parte blanca) cortado en tiritas
- Aceite
- Sal

manos a la obra

Se limpian los chipirones quitándoles las tripas y el cartílago interno que recorre su cuerpo. Después se lavan y se reservan los tentáculos. En una sartén con aceite muy caliente se doran los chipirones por ambos lados, se sazonan. Los tentáculos se fríen aparte. Se retira de la sartén el líquido que hayan soltado. • Se rehogan las cebolletas, la cebolla y el puerro en poco aceite y se sazona con sal. Se reparte todo en dos platos y se ponen encima los chipirones.

Nota: Los chipirones son calamares pequeños, nacidos en verano y pescados con anzuelo. Los calamares recién pescados tienen que esperar 24 horas antes de guisarse ya que, de lo contrario, estarían muy duros.

Ensaladilla de marisco

- **8 rebanadas de pan de chapata**
- **2 aguacates**
- **1 lata de chatka**
- **1 kg de gambas**

- **200 gr de jamón ibérico en láminas**
- **1 lechuga y 1 limón**
- **Salsa mayonesa en conserva o hecha en casa según receta (pág. 115)**

manos a la obra

Después de pelar los aguacates, se cortan en lonchas gruesas y se riegan con zumo de limón. Se reservan cubiertos con papel *film*. • Se desmenuza el chatka. • Se cuecen las gambas en agua salada cuidando de que no se pasen de cocción. En cuanto cambien de color, se retiran y se pelan. • Se corta el jamón en tiritas y se fríe para que quede crujiente. • La lechuga, bien lavada, se pica y se guarda en la nevera.

Presentación: Se colocan los aguacates y algo de mayonesa sobre el pan. Luego se pone lechuga, chatka, gambas y de nuevo salsa y más lechuga. En el centro se colocan las virutas de jamón.

Frito mixto andaluz

- Una japuta en filetes
- 250 gr de salmonetes pequeñitos
- 300 gr de chopitos o puntillas
- 250 gr de boquerones
- 250 gr de anillas de calamar
- Harina de cereales (especial para freír pescado)
- Sal

ADOBO:
- 3 dientes de ajo
- 2 hojas de laurel
- 1 vasito de vino blanco
- 1 cucharada de vinagre
- 1/4 l de aceite
- 2 cucharadas de pimentón dulce
- Sal

manos a la obra

Se quita la cabeza a los boquerones y, por el hueco que queda, se arranca la espina. Si son muy pequeños no será necesario quitarles la espina. • Se cortan los filetes de japuta en trozos pequeños y se introducen en un adobo compuesto por los ingredientes citados arriba. • Se sazonan los pescados que no están en adobo y todos se pasan por harina y se fríen en aceite abundante, muy caliente. Se escurren sobre papel absorbente.

Presentación: Se colocan en una fuente separando las distintas especies.

Gambas a la gabardina

- 1/2 kg de gambas
- 2 l de agua
- 2 cucharadas de sal marina
- 2 hojas de laurel y sal

MASA:

- 250 gr de harina

- 2 huevos
- 1 1/2 dl de leche
- 2 cucharadas de aceite
- 1 cucharadita de levadura en polvo Royal
- 1 cucharadita de sal fina
- Aceite abundante para freír

manos a la obra

Se calienta el agua con el laurel y la sal. Cuando hierva se introducen las gambas durante 2 minutos y medio. Deben quedar a medio hacer. • Se quita la cabeza a las gambas y se pelan, dejando sólo pegada la cola. • **La masa:** Se mezcla la harina con la levadura, se añaden los huevos batidos, la sal, el aceite y la leche, removiéndolo hasta que quede una masa homogénea. • Se reboza cada gamba en la masa, dejando libre la cola y se fríe de inmediato. No deben hacerse en aceite excesivamente caliente pues se arrebatarían sin que se cociera el interior de la masa.

Nota: El tiempo de cocción del marisco dependerá del peso de la gamba. Las que se han utilizado en la receta han pesado 25 gramos y han entrado 20 piezas en el 1/2 kilo.

Gambas al ajillo

- 300 gr de gambas enteras
- 1 dl de aceite
- 5 dientes de ajo pelados y picados
- 4 trocitos pequeños de guindilla
- Sal

manos a la obra

Se pelan las gambas en crudo y se reservan. • En una cazuelita se vierte el aceite, los ajos picados y la guindilla. Se calienta todo sin dejar que se tuesten los ajos y cuando estén a punto, se incorporan las gambas y se sazonan con moderación removiendo hasta que cambien de color. Se sirve muy caliente.

Nota: Estas cantidades son para una cazuelita individual.

Hígado de bacalao y huevas de salmón

- 1 lata de 250 gr de hígado de bacalao
- 1 latita de huevas de salmón
- 6 minitostas rectangulares
- 1 rama de apio
- 2 cucharadas de puré de patata en copos
- 1 cucharada de aceite
- Sal y nuez moscada

manos a la obra

Se conserva el hígado de bacalao muy frío en la nevera. • **Puré:** Se cuece en una olla exprés una rama de apio. A los 15 minutos se cuela el líquido y se hace un puré espeso con los copos de patata, una cucharada de aceite y algo del caldo de apio.

Presentación: Se divide el puré en seis partes con las que se untarán las minitostas. Se pone por encima el hígado de bacalao y se adorna con huevas de salmón.

Marmitako

- 2 dl de aceite
- 2 cebollas picadas
- 3 pimientos verdes cortados en aritos
- 4 pimientos del piquillo en conserva cortados en trocitos
- 4 dientes de ajo picados

- 2 kg de patatas
- 1 kg de atún
- 1 1/2 dl de salsa de tomate frito según receta (pág. 114)
- Sal y pimienta
- 1 hoja de laurel

manos a la obra

Se fríen las cebollas en el aceite. Se sazonan con sal y se añaden los ajos y los pimientos verdes. Cuando estén casi hechos, añadimos los pimientos del piquillo. • Hecho el sofrito se añaden las patatas cortadas en trozos medianos. • Se cubren con agua y se agrega el tomate frito y el laurel, y se dejan cocer hasta que estén tiernas. Rectificamos de sal. • Incorporamos el atún troceado para que cueza despacio unos 15 minutos.

Presentación: Servimos el guiso en 6 cazuelitas.

Mejillones rellenos fritos

- 20 mejillones
- 50 gr de mantequilla
- Una cucharada de aceite de oliva de 0,4°
- 1/2 cebolleta picada
- 50 gr de harina
- 3 dl de leche
- Una cucharada de vino blanco
- Sal
- Pimienta

manos a la obra

Se lavan y raspan las conchas de los mejillones. Se cuecen al vapor. Se tapan y cuando hierva el agua, se dejan hasta que las conchas se abran. Una vez hechos los mejillones, se vacían. Reservamos las conchas.

Salsa: Se derrite la mantequilla con una cucharada de aceite y se rehoga la cebolleta picada. Cuando se trasparente, se añade la harina. Posteriormente se agrega el vino y la leche hasta conseguir una crema espesa. Se sazona. • Se añaden los mejillones y después de cocerlos unos segundos en la salsa, se trituran en el robot eléctrico, y en caliente, se rellenan las conchas. Cuando estén fríos se rebozan en huevo y pan rallado y se fríen.

Merluza frita

- 6 rebanadas de pan de chapata
- 6 filetes de merluza de 100 gr cada uno
- 6 hojas de lechuga
- 2 huevos
- Salsa mayonesa hecha en casa según receta (pág. 115)
- Harina para rebozar
- Sal
- Aceite abundante para freír

manos a la obra

Pedimos al pescadero que corte seis lomos del centro de la merluza. • Se sazonan y se rebozan en huevo y harina. Deben freírse en aceite abundante bien caliente para que se forme costra. Luego se baja la intensidad del calor para que se cuezan por dentro.

Presentación: Sobre cada rebanada de pan se vierte una cucharada de mayonesa, después se superpone una hoja de lechuga y un poco más de mayonesa. Finalmente se coloca el filete frito de merluza.

Picadillo de mariscos con salsa rosa

- 6 rebanadas de pan de chapata
- 1 kg de la parte central del rape cortado a dados
- 10 palitos de mar picados

- 300 gr de gambones pelados
- 6 vieiras
- 4 dl de salsa rosa según receta (pág. 115)
- 2 cucharadas de aceite, sal y pimienta

manos a la obra

Si se compra el rape congelado quedará reducido a unos 400 gr. Fresco tendrá menos merma.
Se introduce dentro de un colador en un cazo con agua hirviendo, hasta que esté cocido.
Se reserva en un cuenco. • Las gambas, peladas, se cuecen de la misma forma que el rape y se
reservan en el mismo cuenco. • Se pican los palitos de mar y se vuelcan sobre los otros
ingredientes. • Se abren las conchas de las vieiras y se retira el fondo negruzco. • Separamos los
corales con cuidado de no romperlos y se fríen en muy poco aceite. Se guardan separados para
adornar. Se pica la carne blanca de la vieira y se le da una ligera cocción. Se introducen en el
mismo cuenco. • Se mezclan 3 dl de salsa rosa con el pescado y se rectifica de sal y pimienta.
Presentación: Se distribuye esta mezcla sobre las rebanadas de pan. Con el resto de la salsa se
forman rosetones sobre las tapas y se montan con los corales de las vieiras.

Pulpo a la gallega

- **2 bandejas de pulpo cocido**
- **2 cucharadas de pimentón dulce**
- **1 pastilla de extracto de caldo de pescado**
- **2 hojas de laurel**
- **Sal marina para espolvorear el pulpo**
- **1 cucharadita de sal marina para el caldo**
- **2 dl de aceite de oliva**

manos a la obra

Metemos el pulpo durante 15 minutos en un caldo preparado con la pastilla, el laurel y la sal. Se saca con la espumadera y, bien escurrido, se extiende sobre una fuente.

Presentación: Espolvoreamos el pulpo con sal y pimentón y vertemos por encima el aceite. Volvemos a echar pimentón.

Nota: Si se compra crudo, debe cocerse durante 3 horas con laurel y un corcho de botella y se deja enfriar en el líquido de cocción.

Salpicón de mariscos

- 1 cebolleta cortada en tiras
- 1 1/2 kg de langostinos pequeños de 50 gr cada uno
- 1 kg de mejillones
- 3 carabineros

- 1 dl de aceite de oliva virgen
- 2 cucharadas de vinagre de Jerez
- Sal
- Laurel

manos a la obra

Se pone a hervir 1 litro de agua con 40 gr de sal y dos hojas de laurel. Cuando hierva a borbotones se introducen los langostinos y los carabineros. Los langostinos deben cocer 90 segundos y los carabineros 1 ó 2 minutos más (según el tamaño). Se van sacando a medida que estén hechos y los dejamos enfriar. Una vez fríos los pelamos y cortamos en trocitos. • Se lavan bien las conchas de los mejillones, y se introducen en una sartén con poca agua, donde se cuecen. A medida que se vayan abriendo, se sacan los mejillones de sus conchas. • Hacemos una vinagreta. Para ello se deslía la sal en el vinagre y se bate con el aceite. Se incorpora la cebolleta y los mariscos. Conviene dejar reposar unas horas antes de servir.

Setas y gambas gratinadas

- 3 bollos de pan de 6 cm de diámetro
- 4 cucharadas de aceite de oliva
- 4 dientes de ajos picados
- 300 gr de champiñón o de setas
- 150 gr de bacon cortado en tiritas
- 200 gr de gambas ya peladas
- 1 1/2 dl de nata
- 6 cucharadas de queso rallado
- 6 cucharaditas de perejil picado
- Sal y pimienta

manos a la obra

Se fríe el bacon en el aceite y en cuanto quede algo crujiente se añaden los ajos y los champiñones laminados. Una vez fritos, se añade la nata y lo dejamos cocer hasta que se reduzca el líquido. • Incorporamos las gambas y cuando estén cocidas se retiran del fuego. **Presentación:** Se cortan los bollos por la mitad. Se vierte sobre el pan algo del jugo y después se reparte el rehogo entre ellos. Se espolvorean de queso y se gratinan en el horno. • Al final se añade algo de perejil picado.

Tapa de patatas y salmón ahumado

- **1 pan de chapata**
- **3 patatas peladas cortadas en láminas de 1 cm de grosor**
- **3 láminas de salmón ahumado**
- **6 cucharadas de mayonesa en conserva o hecha en casa según receta (pág. 115)**
- **1 cucharadita de eneldo seco**
- **1 yogur natural**

manos a la obra

A la mayonesa se le añade una cucharada de yogur y el eneldo. • Se cuecen las patatas en agua salada dándoles un hervor suave.

Presentación: Se cortan 6 rebanadas de pan. Se unta el pan con la mayonesa, se cubre con 2 ó 3 rodajas de patatas hervidas, se cubren de nuevo de mayonesa y se añade encima media loncha de salmón.

Tapa de salmón y espárragos trigueros

- **6 rebanadas de pan de chapata**
- **3 lonchas de salmón ahumado**
- **30 espárragos trigueros**
- **6 tallos de cebollino**
- **Salsa de ahumados según receta (pág. 114)**

manos a la obra

Se cuece el cebollino 1 minuto en el microondas o 2 minutos en un cazo con un poco de agua.
• Se cortan los tallos de los espárragos dándoles 8 cm de largo. Se atan en dos manojos y se ponen a cocer en agua hirviendo salada, con las puntas hacia arriba. Cuando estén "al dente" se sacan del cazo y se ponen en otro cazo con agua helada. Se retiran y se desatan los dos manojos. Se forman ramilletes con 5 espárragos cada uno, atados con los tallos de cebollino.
Presentación: Se corta el pan en rebanadas alargadas, se cubre con salsa y encima se extiende el salmón untado con aceite de oliva. Se remata con el manojito de espárragos.

Tapa de sardinas y mejillones

PATÉ DE SARDINAS:
- 1 lata (150 gr) de sardinas en aceite de oliva
- 1 lata (150 gr) de mejillones en escabeche
- 50 gr de queso Filadelfia
- 50 gr de mantequilla

SALSA DE PIMIENTOS:
- 1 pimiento rojo
- 1 dl de nata
- Sal y pimienta

- Minitostas rectangulares

manos a la obra

Salsa de pimientos: Se asa en el horno a 160° un pimiento cubierto con papel de aluminio. Al cabo de una hora se apaga el horno y se deja enfriar tapado antes de pelarlo. • Introducimos en el vaso del robot eléctrico medio pimiento asado. Añadimos la nata, la sal y la pimienta negra. Trituramos la mezcla. • **Paté de sardinas:** Quitamos la espina central, triturando las sardinas con el queso y la mantequilla blanda.

Presentación: Untamos las minitostas con la salsa de pimientos. Formamos con dos cucharitas una croqueta de paté que se colocará encima. • Se remata con un mejillón en escabeche.

Tartaletas de gulas

- 6 tartaletas de masa quebrada comprada hecha o casera (pág. 117)
- 200 gr de gulas
- 2 dl de aceite de oliva

- 3 dientes de ajo picados
- 2 guindillas troceaditas
- Sal (muy poca)

manos a la obra

En primer lugar se preparan las tartaletas. Ya se hagan con masa casera o congelada debe extenderse bien, muy fina. Una vez hechas se dejan enfriar y se desmoldan. • Las gulas se colocarán ligeramente saladas en un plato hondo. Aparte, en una sartén, se fríen los ajos y las guindillas. Cuando hierva el aceite, se vierte sobre las gulas, se remueve para que todas queden bien impregnadas del aceite. Deben quedar jugosas.

Presentación: Se reparten las gulas entre las tartaletas y se sirven muy calientes.

carnes y aves

Albóndigas

- **500 gr de carne de vaca picada**
- **3 salchichas**
- **40 gr de panceta ahumada (bacon)**
- **4 rebanadas de pan de molde**
- **1 dl de nata**
- **2 huevos**
- **1 diente de ajo muy picado**
- **1 cucharada de perejil**

- **Harina y sal**

SALSA:
- **1 cebolla picada**
- **1 zanahoria muy picada**
- **1/2 tomate pelado y troceado**
- **1 cucharada de harina tostada**
- **2 dl de aceite**
- **1 pastilla de extracto de carne y sal**

manos a la obra

Le pedimos al carnicero que pique la panceta ahumada con la carne. Le agregamos las salchichas destripadas. • Se remoja el pan en la nata y se vierte en el vaso triturador con los huevos, la sal, el ajo picado y el perejil. Una vez triturado todo, se vierte la mezcla sobre la carne. Se amasa, se forman bolas y se rebozan en harina. Las freímos en aceite muy caliente para que se les forme corteza. • **Salsa:** Rehogamos la cebolla y cuando se transparente, le añadimos la zanahoria, el tomate y la sal. Agregamos la harina tostada, 2 vasos de agua y una pastilla de extracto de carne. Después de 30 minutos de cocción, se pasa por el pasapurés. • Calentamos las bolas de carne en la salsa de 15 a 20 minutos.

Brocheta de solomillo ibérico adobado

- 1 solomillo de cerdo (300 gr)

ADOBO:
- 1/2 cebolla en tiras
- 2 dientes de ajos picados
- 1 hoja de laurel picada
- 1 cucharada de hierbas aromáticas

- 2 cucharadas de pimentón picante
- 1 cucharada de salsa de soja
- 1 dl de vinagre de Jerez
- 1 vaso de aceite de oliva
- Sal
- Pimienta recién molida

manos a la obra

Se prepara el adobo mezclando todos los ingredientes. • Se quitan la grasa y los nervios del solomillo, se corta a daditos y se introduce en el adobo durante un par de horas.
Presentación: Se ensartan los dados de carne en unos pinchos de madera, poniendo 3 en cada uno. Se fríen rápidamente en el aceite.

Caldereta de cordero

- 1 kg de cordero troceado
- 2 cebollas picaditas
- 2 pimientos verdes picados
- 1 dl de aceite de oliva
- 12 patatitas nuevas peladas
- 4 dientes de ajo
- 3 hojas de laurel

- 2 cucharadas de perejil fresco picado
- 1 cucharada de pimentón
- 1 cucharadita de sal marina
- Pimienta recién molida
- 1 cucharada de vinagre de vino tinto
- 1 cucharada colmada de harina

manos a la obra

Rehogamos las cebollas y los pimientos en el aceite. Añadimos los trozos de cordero ligeramente salados. Se saltea el conjunto unos segundos. • Machacamos el ajo, el laurel y perejil, el pimentón, la sal y la pimienta y lo disolvemos todo con el vinagre y algo de agua. Se vierte sobre el guiso y se cubre totalmente con agua. • A la media hora se agregan las patatas y se dejan cocer hasta que todo esté a punto. Incorporamos la harina disuelta en un poco de agua para ligar la salsa y lo dejamos hervir.

Presentación: Se divide en 6 cazuelitas, sirviéndolo muy caliente.

Callos a la madrileña

- 1 1/2 kg de callos
- 1/2 kg de morros troceados
- 1 mano de vaca deshuesada y en trozos
- 200 gr de jamón serrano
- 8 pimientos secos
- 100 gr de chorizo blando (poco curado)
- 1 morcilla (optativa)
- Sal y pimienta en grano

- 1 dl de aceite de oliva
- 2 cebollas picadas
- 4 dientes de ajo picados
- 1 taza de salsa de tomate según receta (pág. 114)
- 2 tazas de caldo de los callos
- 1 trocito de guindilla o unas gotas de Tabasco

manos a la obra

Los callos y los morros troceados se sumergen en agua con un buen chorro de vinagre y sal marina. Al cabo de una hora se lavan con agua fría. • Se ponen a cocer en una olla exprés con agua y se incorporan el jamón, los pimientos secos y unos 15 granos de pimienta negra. A los 45 minutos se verifica el punto de cocción y se añade el chorizo y, si gusta, una morcilla. Se cuecen otros 20 minutos. • Para hacer la salsa se rehogan en el aceite la cebolla y los ajos. Cuando estén transparentes se añade la salsa de tomate, el caldo de los callos y la guindilla. Una vez hecha, se pasa por un pasapurés y se vierte sobre los callos y morros. Se agrega el chorizo y la morcilla (si se ha puesto), cortados en rodajas.

Canapé de chorizo de Pamplona

- 6 rebanadas de pan de molde
- 6 lonchas de queso manchego
- 6 rodajas de chorizo de Pamplona
- 6 huevos

- 3 cucharadas de nata
- 6 cucharadas de aceite de oliva
- 50 gr de tallarines verdes
- Sal

manos a la obra

Tallarines: Se cuecen los tallarines "al dente" y una vez escurridos se rehogan en una cucharada de aceite. **Tortillas:** Se baten los huevos con la nata y una pizca de sal. En una sartén de 7 cm de diámetro se calienta el aceite y se cuajan 6 tortillas.

Presentación: Sobre cada loncha de pan se coloca una tortilla, encima una loncha de queso y por último el chorizo. Con un cortapastas se le da forma redonda. Los restos de las tortillas y los tallarines se utilizan para adornar.

Chorizo con base de plátanos

- 6 rebanadas de pan de barra
- 1 plátano
- 200 gr de chorizo semicurado

- 3 cucharadas de aceite de oliva
- 1 cucharadita de pimentón dulce o picante

manos a la obra

Se corta el plátano en rodajas al bies. • El chorizo se corta también al bies, procurando que las rodajas sean mayores que las del plátano. Se fríen rápidamente en el aceite. • Se fríe el pimentón en el mismo aceite donde se frió el chorizo, no muy caliente, porque podría amargar.
Presentación: Se unta el pan con el aceite de pimentón, se coloca el plátano y, finalmente, el chorizo.

Chuletitas de cordero con besamel

- **6 chuletitas de cordero**
- **Salsa besamel según receta (pág. 113)**

REBOZADO:
- **Huevos batidos**
- **Harina**
- **Pan rallado**

manos a la obra

Se despojan las chuletitas de cartílagos. Se salan y se fríen en aceite. Conviene dejarlas rosadas.
• Se prepara la besamel según la receta pero cambiando los 30 gr de harina por 60 gr. • Se pasan las chuletitas por la besamel caliente, de una en una, y se dejan enfriar sobre una placa engrasada. Cuando estén frías se rebozan en harina, huevos y pan, y se fríen a continuación en abundante aceite.

Empanadillas de carne

- Masa de hojaldre congelada o masa para empanadillas comprada hecha o según receta (pág. 117)
- 200 gr de carne asada o guisada
- 1 dl de salsa de tomate (pág. 114)
- Unas gotas de salsa Worcestershire (Perrins)
- Unas gotas de Tabasco (optativo)
- 1 huevo batido
- Sal

manos a la obra

Se pica la carne en un robot eléctrico y se mezcla con la salsa de tomate y la salsa Perrins. Si se quiere picante, se añaden unas gotas de Tabasco. Se sazona con sal. • Se estira la masa y se forman redondeles de 7 cm de diámetro. Se divide el relleno entre ellos y se cierran, uniéndolos con algo de huevo batido. Los bordes se marcan con un tenedor. • Se fríen en aceite abundante.
Nota: La masa puede estar hecha de antemano pero los redondeles deben freírse recién rellenos.

Hígado de pato con cebolla confitada

- **Pan de chapata**
- **Hígado fresco de pato**
- **2 dl de vino dulce Pedro Ximénez**
- **Sal y pimienta recién molida**
- **1 kg de cebolla cortada en tiritas**
- **100 gr de mantequilla**

- **2 cucharadas de aceite de oliva 0,4°**
- **160 gr de azúcar**
- **1/4 l de vino tinto**
- **1 dl de vinagre de Módena**
- **Sal**

manos a la obra

Confitura de cebolla: Se escoge una cazuela antiadherente de fondo grueso. En ella ponemos a derretir la mantequilla con el aceite y luego incorporamos la cebolla. Después de freírla durante cinco minutos, se vierte el vino tinto, el vinagre, el azúcar y un poco de sal. Se deja cocer muy despacio hasta que se evapora totalmente el líquido. • Se cuece el vino dulce Pedro Ximénez hasta reducirlo a la mitad. • **Hígado de pato:** Se sumerge el hígado de pato en agua fría durante 12 horas. Se quitan los restos de hiel y también las manchas sanguinolentas. • Separamos los dos lóbulos y ayudándonos de un paño, tiramos de los nervios. Lo cortamos en filetes. • Se fríen los filetes de hígado en su propia grasa dejándolos poco hechos.

Presentación: Colocar la confitura de cebollas sobre el pan y encima el hígado regado con la reducción del vino dulce Pedro Ximénez. Saldrán unas 15 tapas.

Lomo adobado y manzanas caramelizadas

- 6 rebanadas de pan de molde
- 6 filetes de lomo adobado (275 gr)
- 3 manzanas Golden (250 gr aprox.)
- Aceite de oliva para freír los filetes

- 75 gr de azúcar para caramelizar
  y 2 cucharadas más para el puré de
  manzana
- Sal

manos a la obra

Los filetes de lomo se fríen, sin sazonarlos. • Se pela una manzana y se corta en 12 gajos de tamaño similar. Se ponen extendidos en una cacerola con agua que los cubra. Se cuecen. Cuando estén hechos, escurrir casi todo el agua. Añadir el azúcar hasta que empiece a caramelizarse. Entonces en caliente, se despegan los gajos y se ponen sobre cada filete. • Las 2 manzanas restantes se cuecen en agua y azúcar y se trituran.

Presentación: Cubrimos cada rebanada de pan con puré de manzana y colocamos encima el lomo con las manzanas caramelizadas.

Nota: Es mejor comprar lomo ibérico adobado. Es algo más caro, pero también más aromático y tierno.

Morcilla de Burgos con manzana

- **1 morcilla de Burgos**
- **2 manzanas reineta**
- **1 limón**
- **Pan de baguette**

manos a la obra

Se corta una manzana a daditos, la otra en gajos finos. Las regamos con unas gotas de zumo de limón. • Hay que destripar la morcilla y picarla ligeramente para que queden los trocitos despegados. Se calienta una sartén sin aceite y se añade la morcilla mezclada con la manzana cortada a dados. En cuanto la fruta esté cocida, se retira del fuego.

Presentación: Se corta el pan en rebanadas y sobre cada una se vierte la morcilla. • Se adorna con los gajos de manzana.

Morcilla de Burgos con pimiento verde

- 6 rebanadas de pan de chapata
- 3 pimientos verdes
- 2 morcillas de Burgos
- Aceite de oliva

manos a la obra

Se cortan los pimientos a lo largo, en dos partes y las morcillas en rodajas de 2 cm. • En una sartén con un fondo de aceite freiremos los pimientos y cuando estén tiernos *al dente* los retiramos incorporando las morcillas, que también se fríen.

Presentación: Se corta el pan en rebanadas al sesgo. Sobre cada una se pone 1/2 pimiento verde y una rodaja de morcilla.

Plato de Jabugo

- 6 lonchas de lacón
- 6 lonchas de jamón de Jabugo
- 12 lonchas de lomo de Jabugo
- 12 rodajas de chorizo de Jabugo
- Picos de pan

manos a la obra

No hay más trabajo que comprar embutidos de calidad que serán de precio elevado. Este plato de gusto exquisito, peculiar y autóctono está conquistando el mundo.

Presentación: Se coloca cada clase de embutido en cuatro zonas de una fuente de servir y en medio un montón de picos de pan.

Pollo al ajillo

- 1 pollo troceado
- 3 dientes de ajo picados
- 6 dientes de ajo sin pelar
- 1/2 dl de vino blanco de Jerez
- 2 dl de aceite de oliva
- Sal

manos a la obra

Se untan los trozos del pollo con los ajos picados y sal. • En una cazuela de barro se pone el aceite y en cuanto esté templado se incorpora el pollo y los ajos sin pelar, dejándolo freír hasta que se dore. Se añade el vino y se deja hervir hasta que se consuma.

Presentación: Se sirve en la misma cazuela de barro en la que se ha hecho.

Rabo de buey

- **2 rabos de vaca troceados**
- **4 cebollas picadas**
- **2 zanahorias troceadas**
- **6 dientes de ajo machacados**
- **2 dl de aceite de oliva**

- **2 cucharadas de *brandy***
- **3 vueltas al molinillo de pimienta negra**
- **Vino tinto, que cubra con holgura el rabo**
- **Sal**

manos a la obra

Colocamos los rabos en una cazuela donde quepan ajustados. • Aparte se rehogan las cebollas en el aceite y cuando se transparenten, se añaden los ajos y las zanahorias. Sazonamos con sal y pimienta y se vierte sobre los rabos. Añadimos el *brandy* y una cantidad suficiente de vino tinto para que cubra con holgura el rabo. Tapamos la cazuela. • Se pone al fuego y en cuanto hierva a borbotones se introduce en el horno a 100º. Al cabo de 4 horas comprobamos si los rabos están tiernos, los sacamos y colocamos en una fuente. Desengrasamos el caldo que queda en la cazuela y lo vertimos sobre los rabos. • Se sirve muy caliente.

Nota: Puede hacerse en la olla exprés durante 40 minutos pero se corre el riesgo de que cueza demasiado por lo que conviene controlarlo muy bien.

Roastbeef sobre mostaza verde

- 1 1/2 kg de lomo bajo
- 1 lata de mostaza verde
- 6 rebanadas de pan de chapata

- 1 pepinillo en vinagre
- Aceite de oliva
- Sal y pimienta

manos a la obra

Para cortar 6 lonchas finas de carne será necesario asar 1 kg o 1 1/2 kg. Se sazona y se riega con aceite. • Se asa 20 minutos por kilo sobre la rejilla, a 190°. Una vez hecho y reposado, se corta en 6 lonchas finas.

Presentación: Se unta cada rebanada con mostaza. Se enrolla el roastbeef sobre sí mismo y se coloca sobre el pan adornándolo con una lámina de pepinillo en vinagre.

Nota: El resto del roastbeef se puede reservar para otras comidas.

Salchichitas en hojaldre

- **12 salchichas pequeñas**
- **1 tira de masa de hojaldre congelada**

- **Mostaza suave**
- **1/2 l de vino blanco**
- **1 huevo batido**

manos a la obra

Se pinchan las salchichas para que no revienten al cocerse y se ponen a hervir en el vino. Se dejan enfriar totalmente y se untan con mostaza. • Se estira ligeramente el hojaldre y se corta en tiras de un tamaño menor que las salchichas. • Se enrollan las salchichas en el hojaldre, se unen los bordes con huevo y se pintan con él. Se hornean a 180° durante 20-25 minutos.

Presentación: Se adornan con pimientos de Guernica.

Nota: También pueden elegirse otros embutidos pequeños como choricitos para cocktail o chistorras.

Solomillo ibérico con salsa de pimientos

- 6 rebanadas de pan de barra
- 6 filetes de solomillo de cerdo ibérico
- 3 pimientos del piquillo en conserva
- 1 dl de nata
- Sal y pimienta

manos a la obra

Se sazonan y se fríen los filetes en aceite de oliva. • En un cacito se cuecen los pimientos con la nata y se sazonan con sal y pimienta. En cuanto rompa el hervor se retiran y se trituran en un robot eléctrico.

Presentación: Se untan las rebanadas de pan con algo de salsa de pimientos. Se colocan encima los filetes y se cubren con más salsa.

Solomillo ibérico y queso azul

- **6 rebanadas de pan de barra**
- **150 gr de solomillo de cerdo ibérico en filetes**
- **50 gr de cebolla picadísima**

- **4 cucharadas de aceite de oliva**
- **100 gr de queso asturiano azul**
- **100 gr de queso de untar, tipo Filadelfia**
- **Sal**

manos a la obra

Se fríe la cebolla en 3 cucharadas de aceite hasta que quede muy hecha. • Se ablandan los quesos durante 1 minuto en el horno y después de mezclarlos bien con un tenedor, se introducen en una manga pastelera con boquilla rizada de medio cm. • Se sazonan los 6 filetitos de solomillo y se doran en la cucharada de aceite restante.

Presentación: Se divide la cebolla en las 6 rebanadas de pan. Se colocan encima los filetes, y se rematan con un rosetón de quesos.

Tapa de cebollitas glaseadas y foiegras de pollo

- **6 rebanadas de pan tostado con aceite, ajo y perejil**

FOIEGRAS:
- **250 gr de higaditos de pollo**
- **75 gr de mantequilla**
- **1 cucharada de jerez oloroso**
- **1 cucharada de hierbas aromáticas**

- **1 cucharadita de azúcar**
- **Sal y pimienta**

CEBOLLITAS CARAMELIZADAS:
- **10 cebollitas francesas**
- **100 gr de azúcar**
- **2 cucharadas de aceite**
- **3 dl de agua, sal**

manos a la obra

Foiegras: Se limpian los higaditos quitándoles las manchas verdosas de hiel. Se introducen en un cazo con la mantequilla, el jerez, las hierbas, la sal, el azúcar y la pimienta. Se cuecen hasta que se derrita la mantequilla y queden rosados los higaditos. Se trituran en el robot eléctrico. • **Cebollitas:** En un cazo se ponen 100 gr de azúcar y unas gotas de limón. Se calienta hasta que se caramelice. Se introducen las cebollitas francesas en el mismo cazo. Después de sumergirlas en el caramelo, se cubren con agua y un chorretón de aceite. Se espolvorean con algo de sal y se dejan cocer despacio hasta que absorban el agua.

Presentación: Sobre cada rebanada de pan se colocan las cebollitas y al lado un rosetón de foiegras.

Tapa de foiegras, aguacate y jamón de pato

- **6 rebanadas de pan de barra**
- **100 gr de mousse de foiegras de pato de lata o en conserva**
- **50 gr de jamón de pato envasado al vacío**
- **1 aguacate**

manos a la obra

Se calienta en agua caliente la bolsa de plástico en la que está el jamón de pato. Así se abre y se separan fácilmente las lonchas. • Se pela el aguacate y después de cortarlo por la mitad a lo largo, el hueso se quedará incrustado en unos de los lados; para no estropear la pulpa, pinchamos con un cuchillo el hueso que saldrá fácilmente. Se corta la pulpa en rodajitas de 1/2 cm.
Presentación: Se untan las rebanadas con foiegras y se colocan, alternando, 2 láminas de aguacate, con el jamón en medio.

Tartaletas de picadillo de chorizo

- **1/2 kg de picadillo de cerdo o 1 kg de chorizo fresco**
- **6 rebanadas de pan de chapata**

manos a la obra

Se introduce el picadillo en una sartén caliente, sin grasa, y se remueve hasta que la carne quede cocida.

Presentación: Se cubre el pan con el picadillo muy caliente y se sirven.

Nota: El picadillo de cerdo es la carne, ya preparada, con la que se confeccionan los chorizos. En muchas comarcas de Castilla lo venden sin embutir. Si no se encontrara, puede hacerse comprando chorizo fresco sin curar y sacando la carne de la tripa.

varios

Buñuelos de queso

- **Buñuelos según receta (pág. 116)**
- **2 puerros**

CREMA DE QUESO:
- **100 gr de queso Roquefort o asturiano**
- **50 gr de mantequilla**
- **100 gr de queso Filadelfia**

manos a la obra

Crema de queso: Se dejan templar los quesos y la mantequilla para que sean manejables. Se mezclan, removiéndolos vigorosamente, hasta conseguir una crema homogénea. **Puerros:** Se abren en láminas y se cortan en tiritas finas que se fríen hasta dejarlas crujientes.
Presentación: Se rellenan los buñuelos ya hechos con la crema de quesos y se colocan en una fuente redonda. Se adornan con el puerro frito.

Canutillos de jamón y queso

- 6 lonchas finas de jamón de York
- 6 lonchas de queso de crema de Gruyère
- 1 dl de nata
- 50 gr de mantequilla
- 2 cucharadas de queso cremoso fuerte
- 1 cucharada de copos de puré de patatas

PARA REBOZAR:
- 2 huevos
- Pan rallado
- Aceite de oliva para freír

manos a la obra

Se pone a calentar la nata con el queso cremoso y la mantequilla. En cuanto hierva se incorporan los copos de puré y el queso fuerte. Se remueve sin parar y se mantiene al calor hasta conseguir un puré espeso. • Se extiende una loncha de jamón y sobre ella una lámina de queso y un poco de puré caliente. Se enrolla y se sujeta con dos palillos. • Cuando se haya enfriado el puré, rebozamos los canutillos en huevo y pan rallado. Freímos en abundante aceite.

Coca de sobrasada

RELLENO:
- 200 gr de sobrasada
- 2 cucharadas de sopa de sobre de cebolla
- 1 cucharada de vino dulce Pedro Ximénez
- 1 cucharada de azúcar

LA MASA:
- 1 dl de aceite
- 1/2 dl de vino blanco
- 2 huevos
- 20 gr de levadura prensada de panadero
- 1 cucharada de sal y 1/2 de azúcar
- 300 gr de harina

manos a la obra

La masa: Se diluye la levadura en el vino blanco templado. Se agrega el aceite y los huevos batidos. Removemos y vertemos la harina mezclada con la sal y el azúcar. Se trabaja durante 10 minutos hasta conseguir una masa muy elástica y se extiende la masa con el rodillo, dándole forma redonda y pellizcando los bordes con los dedos para levantarlos y dar más capacidad a la coca. Pinchamos el interior con un tenedor. • **Relleno:** Se deja templar la sobrasada. Se incorpora el vino dulce y la sopa de cebolla y se remueve hasta conseguir una pasta homogénea. • Se cubre la masa con el relleno. Se tapa con papel de aluminio y se hornea a 180° durante 25 minutos. A media cocción, retiramos el papel y controlamos el horno para que no se tueste la superficie. **Nota:** La masa puede sustituirse por hojaldre congelado.

Crêpes rellenas de ensalada de pollo

- **Crema de crêpes (Pág. 116)**
- **1 tazón lleno de lechuga picadita**
- **2 yogures cremosos**
- **1 pechuga de pollo**
- **Unas gotas de salsa Worcestershire (Perrins)**
- **1 pastilla de extracto de carne**
- **Sal**
- **Unas ramitas de perejil**
- **Unas tiras de pimiento**

manos a la obra

Se preparan las crêpes según la receta o se compran ya hechas. • La pechuga de pollo se cuece durante 12 minutos en agua hirviendo con una pastilla de extracto de carne. Se pica bien. • Después de lavar la lechuga se pica en trozos minúsculos. • Se mezcla el yogur con unas gotas de salsa Worcestershire (Perrins) y se sazona. • Se mezcla la pechuga picadita con la salsa de yogur y la lechuga. Rellenamos las crêpes, se enrollan sobre sí mismas y se adornan con perejil y pimiento.

Croquetas de pollo y jamón

- **Salsa besamel según receta (Pág. 113)**
- **150 gr de pollo asado o cocido**
- **30 gr de jamón**
- **Sal**
- **Nuez moscada**

manos a la obra

Se prepara una besamel con 60 gr de harina y la misma cantidad de los demás ingredientes. Se añade el pollo y el jamón, mezclándolo bien. Después de un hervor, se deja enfriar completamente cubierto con un papel film pegado a la superficie para que no forme costra.

• Con dos cucharas se da forma alargada a la masa, formando las croquetas. Se pasan por huevo batido y después en pan rallado. Volvemos a moldearlos. Se fríen en aceite a 170º.

Nota: Las cantidades de harina y leche son aproximadas pues la harina, según la humedad que tenga, absorbe más o menos líquido. De todas formas la besamel debe quedar espesa.

Empanada gallega

RELLENO:
- 2 dl de aceite y sal
- 3 cebollas picadas
- 4 pimientos del piquillo en conserva
- 1 tomate pelado y picado
- 3 latas de sardinas en aceite o 1 kg de sardinas frescas

MASA:
- 500 gr de harina
- 1 1/2 dl de aceite
- 1/2 dl de nata o leche
- 2 huevos, 1 huevo batido
- 1 cucharada de sal, 1 de azúcar
- 30 gr de levadura prensada de panadero

manos a la obra

El relleno: Se rehogan las cebollas y el pimiento en el aceite. • Raspamos la piel de las sardinas y quitamos la espina central. Las incorporamos al salteado de cebollas. Cuando se transparenten agregamos el tomate y la sal. Lo sofreímos todo hasta que esté muy cocido. • **Masa:** Diluimos la levadura en la nata o leche templadas. Agregamos el vino, el aceite y huevos batidos. Se añade la harina, la sal y el azúcar. Se amasa a mano o en robot eléctrico durante 10 minutos hasta que la masa coja elasticidad. • Una vez hecho, se divide la masa en dos partes. Se extiende una de ellas con el rodillo y se rellena con el rehogo. Se coloca encima la otra parte de la masa extendida. Pintamos la superfiecie con huevo batido y se hornea a180º durante 25 minutos.

Fideuá

- **250 gr de fideos gordos**
- **2 pimientos verdes**
- **4 dientes de ajo**
- **1/2 kg de calamares**
- **1/2 kg de gambas**

- **1 dl de aceite de oliva**
- **3/4 l de caldo de pescado**
- **Sal**
- **Salsa alioli según receta (pág. 113)**

manos a la obra

Se calienta el horno a 250°. En una sartén con aceite se fríen las gambas unos minutos y se pelan. Las cabezas de las gambas se cuecen y después se trituran en un pasapurés. Reservamos el caldo. • Se saltea el ajo, los pimientos y los calamares en la paellera; posteriormente, se añaden los fideos y se remueven hasta que estén bien rehogados. • Se vierte el caldo hirviendo de las gambas y, si es necesario, se completa con agua. • Se introduce en el horno durante 20 minutos. Al final se le añaden las gambas.

Presentación: Se sirve con salsa alioli.

Migas con jamón y chorizo

- **1 pan candeal redondo (500 gr)**
- **3 dientes de ajo**
- **2 cucharadas de pimentón**
- **4 cucharadas de agua**
- **3 cucharadas de aceite**
- **50 gr de daditos de jamón serrano**
- **12 rodajitas de chorizo**

manos a la obra

Conviene preparar las migas la víspera. Se desmiga el pan sin utilizar la corteza. • Se pican los ajos y se mezclan con el agua y el pimentón. Con esta mezcla embadurnamos las migas y las removemos bien para que se impregnen por igual. Se hace con ellas una bola que se envuelve en un paño húmedo y se dejan reposar 12 horas. • Se fríen las migas en muy poco aceite. Tienen que tostarse sin que queden grasientas. • Las aplastamos, ahuecamos y removemos incorporando el jamón y el chorizo. Se toman recién hechas.

Paella

- **2 tazones de arroz**
- **300 gr de gambas**
- **100 gr de magro de cerdo en dados**
- **10 alitas de pollo**
- **1 1/2 dl de aceite de oliva**
- **3 dientes de ajo**

- **1 tomate pelado y picado**
- **Unas gotas de zumo de limón**
- **Sal y azafrán**
- **4 tazones de caldo de las gambas**
- **2 huevos duros y 1 pimiento de lata**
- Utensilio: **1 paellera**

manos a la obra

Se pelan las gambas, se fríen las colas durante unos segundos y se guardan en la nevera. Las cabezas se cuecen en agua durante 30 minutos, se trituran y se cuelan por el chino. Se reserva el caldo caliente sobre el fuego. Se sazona la carne con sal y pimienta. En una paellera con aceite se saltea el ajo, el pollo y el cerdo. Se añade el arroz, removiendo durante 5 minutos. • Se incorpora el limón, el tomate, la sal, la pimienta y el azafrán machacado. Se vierte caliente el caldo de las gambas, completándolo con agua caliente si fuera necesario. Cuando rompa a hervir se hornea a 180° durante 20 minutos y se deja reposar otros 15 minutos fuera del horno. Si el grano estuviera todavía duro y seco, se espolvorea con los dedos un poco de agua, se tapa y cuece unos minutos más.
Presentación: Se adorna con las colas fritas de las gambas, los huevos duros y los pimientos.

Pincho de diversos escabeches

- **6 rebanadas de pan integral redondo**
- **1 lata de tomate frito**
- **3 huevos de codorniz**
- **1 lata de mejillones en escabeche**

- **1 lata de aceitunas rellenas de pimiento rojo**
- **1 lata de cebollitas en vinagre**
- **1 pimiento del piquillo en trocitos**
- **6 pepinillos**

manos a la obra

Se unta el pan con salsa de tomate. • Se corta cada pepinillo en 4 trozos que se colocan enfrentados sobre cada rebanada. En los ángulos que se forman se ponen, alternados, los mejillones, las cebollitas y el pimiento. El centro se remata con medio huevo de codorniz previamente cocido durante 5 minutos.

Queso de cabra sobre cebolla

- 6 rebanadas de pan de chapata
- 6 quesitos de cabra
- 1 cebolla picada

- 2 dientes de ajo picados
- 3 cucharadas de aceite de oliva
- Pasas de Málaga

manos a la obra

El pan se corta al bies para hacer las rebanadas largas. • Se rehoga la cebolla y cuando transparente se añade el ajo sin dejar que tome color. • Se parten los quesitos de cabra por la mitad. • Sobre el pan ponemos el salteado de cebolla con su grasilla y lo cubrimos con dos mitades de queso. • Se calientan en el horno a 160° un par de minutos para ablandar el queso. **Presentación:** Se colocan las pasas por encima.

Queso frito de cabra

- 6 rebanadas de pan de molde
- 1 tomate carnoso y maduro
- 6 cucharaditas de aceite de oliva virgen
- 2 quesitos de cabra
- 80 gr de pan rallado
- 2 cucharadas de pimentón dulce
- Una pizca de azúcar
- 2 huevos para rebozar
- 3 pepinillos en vinagre

manos a la obra

Se corta el pan en redondeles del tamaño del tomate. • Se parte el tomate en rodajas muy finas. • Los quesitos se cortan cada uno en 3 rodajas. • El pan rallado se mezcla con el pimentón dulce. • Por último se rebozan los quesitos en huevo y pan rallado y se fríen.

Presentación: Sobre el pan colocamos una rodaja de tomate, espolvoreada con una pizca de azúcar y regada con una cucharadita de aceite. Se termina con los quesitos fritos y un adorno de pepinillo.

Queso, higos y jamón de bellota

- **6 rebanadas de pan de molde**
- **6 cucharadas de aceite de oliva virgen**
- **100 gr de jamón en lonchas finitas**
- **100 gr de queso cremoso**
- **6 higos**

manos a la obra

Se corta el pan en redondeles y se tuesta. • Se abren los higos en cuatro formando una flor. • Se unta el pan con el aceite y después con el queso. Se pone encima el jamón y los higos.
Consejo: Conviene comprar más higos de los necesarios pues algunos se estropean al partirlos.

Sobrasada y torta del Casar gratinada

- **6 rebanadas de pan de chapata**
- **6 lonchas de sobrasada**
- **1 queso de torta del Casar**

manos a la obra

Cortamos el pan al bies para hacer rebanadas alargadas. • Se compra una torta del Casar blandita y con un cuchillo se corta la tapa, dejando al descubierto la crema del queso. • Se cubre el pan con la sobrasada y con unas 2 ó 3 cucharadas de la crema del queso. • Se gratina un par de minutos, hasta que se derrita el queso un poco y las rebanadas se tuesten ligeramente.

Tapa de brie

- **500 gr de queso brie**
- **1 pan de chapata**

- **6 cucharaditas de "moka" de aceite de oliva de 0,4°**
- **6 ramitos de romero**

manos a la obra

Se corta el pan en rebanadas al bies para que sean más largas y poder darles forma del queso. • Se vierten sobre cada rebanada unas gotas de aceite y se cubren con 6 triángulos cortados de queso brie. • Se hornea a 200° durante 3 ó 4 minutos.

Presentación: Se adornan con una ramita de romero.

Tapa de fritos de queso

- Salsa besamel (pág. 113) preparada con 50 gr de harina
- 100 gr de queso de Gruyère rallado
- 2 huevos, con las yemas separadas de las claras
- 4 rebanadas de pan de molde
- Aceite abundante

manos a la obra

Se quita la corteza del pan y se parte cada rebanada en 4 trozos cuadrados. • Se confecciona la salsa besamel con 50 gr de harina y las cantidades de los demás ingredientes que indica la receta. • Después de terminada se deja templar y se añaden las yemas batidas y el queso rallado, removiendo bien. • Se montan las claras a punto de nieve y se incorporan suavemente a la besamel. • Se unta la superficie de pan con la crema, que debe formar un montoncito. Se fríen en abundante aceite. Deben consumirse enseguida.

Tapa de queso y nueces

- **6 rebanadas de pan**
- **100 gr de queso Roquefort**
- **50 gr de queso tipo Filadelfia**
- **100 gr de mantequilla blanda**

- **100 gr de nueces**
- **2 cucharadas de nata**
- **Ramitos de estragón**

manos a la obra

Crema de queso: Se ablandan los quesos para poderlos mezclar con la mantequilla y la nata.
• Se reservan 12 nueces para adornar y las demás se trituran en un robot eléctrico. Se añaden a los quesos. Se deja enfriar en la nevera.
Presentación: Se reparte la crema de quesos entre las 6 rebanadas de pan y se adornan con las nueces enteras y el estragón.

Tartaletas de aceitunas negras y sardinas

- **12 tartaletas de masa quebrada comprada o hecha en casa según receta (pág. 117)**
- **150 gr de aceitunas negras**
- **2 huevos duros**
- **85 gr de sardinas de lata en aceite de oliva**
- **2 cucharadas de aceite de oliva**

manos a la obra

Se deshuesan las aceitunas y se pican lo más menudo posible. • Se quita la piel de las sardinas y se retira la espina central. Se pican. • Se cuecen los huevos 12 minutos en agua salada y se descascarillan bajo el grifo de agua fría. Solamente se utilizan las claras, que se pican. • Se mezclan las aceitunas, las sardinas y 1 ó 2 cucharadas de aceite, removiéndolo todo bien para conseguir una pasta homogénea. Puede utilizarse un robot eléctrico.
Finalización: Se divide la mezcla de aceitunas-sardinas entre las 12 tartaletas y se decoran con un montoncito de claras picadas.

Volován caliente de torta del Casar

A ELEGIR PARA RELLENAR:
• **6 volovanes o 6 tarteletas o 6 rebanadas de pan**

• **1 queso de torta del Casar**

manos a la obra

Se elige la base que se prefiera para sostener el queso. Si se opta por confeccionar tartaletas consultar la receta de la "Masa quebrada" (pág. 117). • Los volovanes Se compran en tiendas especializadas y se calientan durante unos minutos en el horno. • Las tarteletas o volovanes se rellenan con una cantidad de queso que sobrepase los bordes del volován. • Si se utiliza pan, se pone el queso encima. Por último, se introducen en el horno a 160° y se sacan en cuanto el queso empiece a derretirse. Supondrá aproximadamente unos 2 minutos.

salsas y masas

Salsa alioli

- 2 huevos
- 1/4 l de aceite de oliva de 0,4°
- 2 cucharadas de agua
- 1 cucharada de vinagre de vino tinto
- 2 dientes de ajo picados
- Sal
- Una pizca de azúcar

manos a la obra

Se baten los huevos en batidora eléctrica o con brazo triturador. Se quita el germen interior de los ajos y se pican. Se va añadiendo el aceite al principio gota a gota, se incorporan los ajos y se sigue batiendo sin parar. Según va espesando puede agregarse el aceite a chorritos y seguir batiendo hasta terminarlo. Entonces se aclara la salsa agregando el vinagre y el agua. Sazonar y emulsionar unos minutos más.

Salsa besamel

- 40 cl de aceite de oliva de 0,4°
  o 50 gr de mantequilla
- 30 gr de harina
- 1/2 l de leche
- Sal
- Nuez moscada

manos a la obra

Se hierve la leche. • Se pone el aceite en un cazo de fondo antiadherente y se rehoga la harina. Se añade la leche en varias veces batiendo la mezcla con varillas y esperando a que hierva la mezcla para agregar más cantidad de leche. • Una vez obtenida la consistencia de una crema, se sazona con nuez moscada rallada y sal.

Salsa de ahumados

- **2 dl de salsa mayonesa según receta (pág. 115)**
- **1 huevo duro picado**
- **1 cucharada de mostaza suave tipo Savora**
- **2 cucharadas de yogur cremoso**
- **1 cucharada de azúcar**
- **1 cucharada de eneldo picado**
- **Sal**
- **Pimienta**

manos a la obra

Confeccionar la mayonesa. Añadir el yogur cremoso, la mostaza, la sal, el azúcar y la pimienta molida. Remover hasta conseguir una crema homogénea. Incorporar el huevo duro picado y el eneldo.

Salsa de tomate española

- **2 dl de aceite de oliva**
- **3 cebollas picadas (250 gr aprox.)**
- **1 diente de ajo picado**
- **1 kg de tomates maduros troceados**
- **1 hoja de laurel (optativa)**
- **Sal**
- **Azúcar**

manos a la obra

Se rehoga la cebolla en el aceite y se sazona con sal y azúcar. Cuando trasparente agregar el ajo, los tomates y el laurel. • Mientras se hacen se van machacando los tomates con la espumadera. Esta salsa debe cocer despacio durante 2 horas. Cuando esté hecha se pasa por el tamiz o por el pasapurés.
Nota: No debe triturarse en el robot eléctrico.

Salsa mayonesa

- **2 huevos enteros**
- **1/2 l de aceite de oliva de 0,4°**
- **1 cucharadita de vinagre de Jerez**
- **2 cucharadas de agua**
- **Sal**
- **Pimienta**
- **Una pizca de azúcar**
- <small>UTENSILIOS:</small> **Robot eléctrico**

manos a la obra

Se introducen en el vaso de la batidora los huevos y se añade el aceite, gota a gota, batiéndolo sin parar. Según va espesando puede agregarse el aceite a chorritos y seguir batiendo hasta terminarlo. Agregar entonces el agua y el vinagre y sazonar. Emulsionar unos minutos más.
Nota: Los huevos deben lavarse bien, antes de cascarlos. En tiempo fresco la salsa puede conservarse una semana en la nevera guardada en un bote de cristal tapado.

Salsa rosa

- **1/4 l de salsa mayonesa según receta (pág. 116)**
- **2 cucharadas de tomate Ketchup**
- **1 cucharada de *brandy***
- **1 cucharadita de azúcar**
- **Sal**

manos a la obra

Se incorporan a la mayonesa los demás ingredientes y se bate un par de minutos.
Nota: Puede hacerse con mayonesa casera o en conserva. En este último caso, se le añaden los ingredientes citados, más dos cucharadas de nata.

Crema para las crêpes

- **125 gr de harina (12-14 crêpes)**
- **2 huevos**
- **1/4 l de leche entera**
- **Aceite de oliva**

- **Sal**
- **UTENSILIOS:**
- **Sartén pequeña de 7 centímetros de diámetro y robot eléctrico**

manos a la obra

Se introducen todos los ingredientes en el vaso de la batidora eléctrica excepto el aceite. En cuanto se mezclen bien, se deja reposar la masa resultante 1 hora en la nevera. • Se calienta una sartén untada con un algodón impregnado de aceite. Cuando esté muy caliente se retira del fuego, se vierte una cucharada de crema y se da vueltas para que la crema se extienda. Vuelve a ponerse sobre el fuego hasta que se cuaje. Se da la vuelta y se cuece por el otro lado. Esta operación se repite hasta terminar la masa.

Nota: Pueden hacerse con varios días de antelación y congelarse apiladas, introduciendo una lámina de papel de aluminio entre cada crêpe.

Masa de buñuelos o pasta "choux"

- **1/4 l de agua**
- **75 gr de mantequilla**
- **125 gr de harina**

- **4 huevos**
- **Sal**

manos a la obra

Se pone a cocer el agua con la mantequilla y la sal. Cuando cueza a borbotones, se vierte de golpe la harina. Se baja el fuego y se remueve hasta conseguir una bola que se despega de las paredes del cazo. Cuanto más seca resulte esta masa, más se inflarán los buñuelos. Se deja enfriar un poco y se añaden los huevos uno a uno, esperando a que se integre el primero en la masa para incorporar el siguiente, y así hasta agregarlos todos. • Se encenderá el horno a 180° con 15 minutos de antelación. Se engrasa la placa y se coloca la masa formando bolitas separadas para que al hincharse no se peguen. Hornear durante 20 minutos. Sacar una del horno para comprobar que esté bien seca por dentro, pues si estuviera húmeda se desmoronaría al sacarla; si aún conservan humedad, dejar algo más de tiempo. • Una vez fríos se conservarán bien en una caja tapada.

Masa para empanadillas

- 3 cucharadas rasas de aceite de oliva
- 3 cucharadas rasas de leche
- 3 cucharadas rasas de vino tinto
- 95 gr aprox. de harina
- Sal

manos a la obra

Se mezclan los elementos líquidos y se sazonan con generosidad. • Se incorpora la harina, removiendo con las manos hasta conseguir una masa blanda. Se deja reposar la masa durante 1 hora. • Se espolvorea la mesa de harina y se extiende con el rodillo pastelero, dejándola muy fina. Formar redondeles de unos 7 centímetros. • Cuando se vayan a utilizar, se rellenan y fríen en abundante aceite.
Nota: Son muy útiles las empanadillas que se venden ya hechas. También resulta el hojaldre que, se estirará muy fino.

Masa quebrada

- 250 gr de harina
- 125 gr de mantequilla
- 1 yema
- 3 cucharadas de agua
- Sal
- UTENSILIOS: **Moldes individuales**

manos a la obra

Dentro de un gran bol se hará un círculo de harina grande; en el centro pondremos la mantequilla, que deberá estar blanda como una pomada, la yema, el agua templada y la sal. Con los dedos, mezclar estos ingredientes e ir incorporando la harina hasta formar una masa que deberá manipularse lo menos posible. Dejar reposar de 1 a 12 horas. Después de espolvorear la mesa con harina, se estira la masa con el rodillo pastelero empezando desde el centro y formando un círculo. Se engrasan los moldes y se tapizan con la masa. Para que ésta no se ahueque al hornearla conviene pincharla con un tenedor y meter una bolita dentro de papel de aluminio. De nuevo se dejan reposar en el congelador unos 10 minutos. • Se hornea de 15 a 25 minutos a 180°. Se controla y cuando esté ligeramente dorada se sacan del horno. • **Nota:** En el comercio se encuentra esta masa congelada que podrá utilizarse, ahorrándose así el trabajo de prepararla; pero el resultado nunca será el mismo ya que las masas caseras, hechas con grasas naturales, siempre son más exquisitas.

índice sobre materias

carnes y aves

índice alfabético